L'alphabet • The Alphabet

Aa — l'accordéon (m.) accordion

Bb — le bébé baby

Cc — la calculatrice calculator

Dd — le dragon dragon

Ee — l'entrée (f.) entrance

Ff — les fruits (m.) fruit

Gg — les gants (m.) gloves

Hh — le hamster hamster

Ii — l'inukshuk (m.) inukshuk

Jj — le jongleur juggler

Kk — le kayak kayak

Ll — le lion lion

Mm — le microscope microscope

Nn — les noix (f.) nuts

Oo — l'olive (f.) olive

Pp — le parachute parachute

Qq — la question question

Rr — la récréation recess

Ss — le serpent snake

Tt — la théière teapot

Uu — l'uniforme (m.) uniform

Vv — le volcan volcano

Ww — le wok wok

Xx — le xylophone xylophone

Yy — le yo-yo yo-yo

Zz — le zèbre zebra

Les nombres de un à dix • Numbers 1 to 10

1
un
one

2
deux
two

3
trois
three

4
quatre
four

5
cinq
five

6
six
six

7
sept
seven

8
huit
eight

9
neuf
nine

10
dix
ten

Les couleurs • Colours

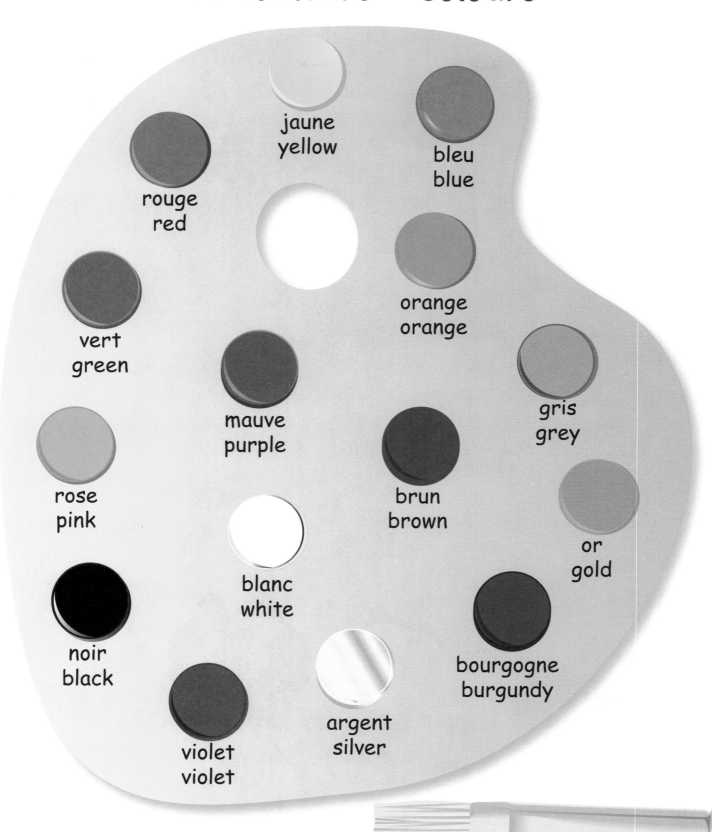

jaune
yellow

bleu
blue

rouge
red

orange
orange

vert
green

mauve
purple

gris
grey

rose
pink

brun
brown

blanc
white

or
gold

noir
black

bourgogne
burgundy

violet
violet

argent
silver

Ce que je porte • What I Wear

le col
collar

la blouse
blouse

le bouton
button

la veste
jacket

le short
shorts

les lacets (m.)
shoelaces

la semelle
sole

les chaussettes (f.)
socks

les chaussures de sport (f.)
running shoes

école
school

le pompon
pompom

la tuque
tuque

le manteau
coat

le chandail
shirt

la mitaine
mitten

le foulard
scarf

le pantalon
pants

la ceinture
belt

les bottes (f.)
boots

Dessine ces vêtements sur le bonhomme de neige.
Draw these clothes on the snowman.

la tuque

le manteau

le pantalon

le foulard

les boutons

les mitaines

la ceinture

les bottes

C'est moi! • This Is Me!

la tête
head

la frange
bangs

le sourcil
eyebrow

les taches de rousseur (f.)
freckles

les cheveux
blonds (m.)
blonde hair

la bouche
mouth

les doigts (m.)
fingers

le bras
arm

la joue
cheek

le menton
chin

le coude
elbow

l'épaule (f.)
shoulder

le genou
knee

les orteils (m.)
toes

la cheville
ankle

les yeux (m.)
eyes

le nez
nose

les cheveux
bruns (m.)
brown hair

la langue
tongue

l'oreille (f.)
ear

le pouce
thumb

les dents (f.)
teeth

la main
hand

la poitrine
chest

le visage
face

le nombril
belly button

le cou
neck

le ventre
stomach

le pied
foot

la jambe
leg

Dessine les parties de la tête.
Draw the parts of the head.

les cheveux

les yeux

le nez

les taches de rousseur

les oreilles

la bouche

la frange

les sourcils

Trace chaque mot. Ensuite, trace une ligne jusqu'à l'image correspondante.
Trace each word. Then draw a line to the matching picture.

le pied

le bras

la main

les dents

À la maison

la fenêtre
window

la porte avant
front door

la cheminée
chimney

le pneu
tire

l'ensemble
de jardin (m.)
patio set

le bac
de recyclage
recycling bin

la clôture
fence

le cabanon
shed

les fleurs (f.)
flowers

les marches (f.)
front steps

l'arrosoir (m.)
watering can

le gazon
grass

le trottoir
sidewalk

la pelle
shovel

la poubelle
garbage can

la tondeuse
lawnmower

le râteau
rake

At Home

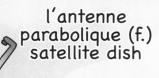
l'antenne
parabolique (f.)
satellite dish

le toit
roof

le garage
garage

le panier de basket
basketball net

la peinture
paint

la lumière
light

la boîte à outils
toolbox

le tuyau
d'arrosage
garden hose

le seau
pail

l'entrée (f.)
driveway

la maison
house

la bicyclette
bicycle

la brouette
wheelbarrow

l'auto (f.)
car

le balai
broom

Relie les points de un à dix. Colorie l'auto en rouge.

Join the dots from one to ten. Colour the car red.

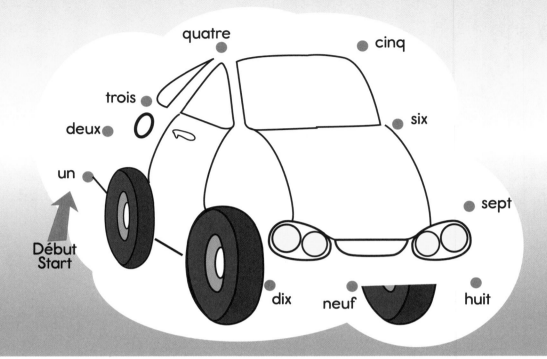

Trace chaque mot. Ensuite, trace une ligne jusqu'à l'image correspondante.

Trace each word. Draw a line to the matching picture.

la maison

l'auto

la fenêtre

la porte

Trace une ligne entre l'image et le mot correspondant.

Draw a line from each picture to the matching word.

les fleurs

la brouette

la tondeuse

la bicyclette

le seau

le garage

Encercle l'intrus dans chaque ligne.

In each row, circle the one that is different from the others.

la porte	le râteau	la fenêtre	le garage
la fleur	 la pelle	le tuyau d'arrosage	la brouette
la cheminée	le toit	l'antenne parabolique	la poubelle
l'auto	la tondeuse	 la bicyclette	le cabanon

La salle familiale

le téléphone sans fil
cordless phone

la photo
photo

les blocs (m.)
blocks

la télécommande
remote

le fauteuil
chair

les billes (f.)
marbles

le cadre
picture frame

le manteau
mantel

le feu
fire

la bûche
log

le couvercle
lid

le coffre à jouets
toy box

le sofa
sofa

l'avion (m.)
airplane

le jouet à empiler
stacking toy

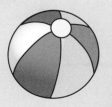

le ballon
ball

le foyer
fireplace

Family Room

le coin
corner

l'abat-jour (m.)
lampshade

le mur
wall

le coussin
pillow

le plancher
floor

le vase
vase

le téléviseur
television

le téléphone
cellulaire
cell phone

le train
train

l'aspirateur (m.)
vacuum cleaner

le porte-revues
magazine rack

la table de salon
coffee table

la plante
plant

la lampe
floor lamp

Trace une ligne entre le mot et l'image correspondante.

Draw a line from each word to the matching picture.

le cadre   le vase   le fauteuil   l'aspirateur

la plante   le foyer   le ballon   le mur

le coffre à jouets   le sofa   le coussin

la table de salon   la télécommande   le plancher

Complète la salle familiale. Dessine les éléments de la liste.

Finish the family room. Draw the items on the list.

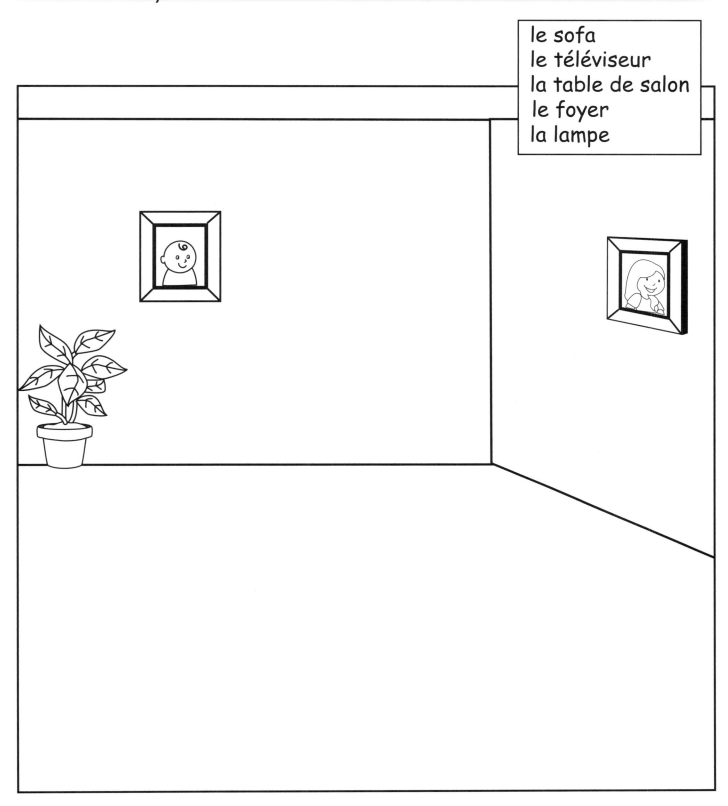

le sofa
le téléviseur
la table de salon
le foyer
la lampe

Dans la cuisine

le savon à vaisselle
dish soap

le lait
milk

les œufs (m.)
eggs

le fromage
cheese

la soupe
soup

le livre de recettes
cookbook

les craquelins (m.)
crackers

le mélangeur
blender

le grille-pain
toaster

le réfrigérateur
refrigerator

la vaisselle
dishes

le verre
de lait
glass of
milk

le lave-
vaisselle
dishwasher

le sac à ordures
garbage bag

le sirop
syrup

les crêpes (f.)
pancakes

la casserole
pot

la rôtie
toast

le ketchup
ketchup

In the Kitchen

les armoires (f.)
cupboards

le micro-ondes
microwave

le tiroir
drawer

la cuisinière
stove

l'assiette (f.)
plate

la mitaine de four
oven mitt

le dessert
dessert

les céréales (f.)
cereal

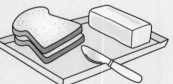

le pain et le beurre
bread and butter

le pichet
pitcher

le hamburger
hamburger

la moutarde
mustard

la bouilloire
kettle

le sel et le poivre
salt and pepper

les frites (f.)
french fries

Dessine cinq aliments du menu. Ajoute des condiments.

Draw five foods from the menu. Add some condiments.

MENU		CONDIMENTS
Soupe	Fromage	Sel et poivre
Hamburger	Crêpe	Moutarde
Craquelin	Œuf	Sirop

Trace une ligne entre l'image et le mot correspondant. Ensuite, trace le mot. Colorie deux images selon la couleur indiquée.

Draw a line from the picture to the matching word. Trace the word.
Colour two pictures to match the colour word.

le beurre

le pain

la bouilloire rouge

les œufs

la soupe

la cuisinière

l'assiette jaune

le lait

L'heure du bain

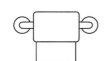

le papier hygiénique
toilet paper

la débarbouillette
facecloth

le dentifrice
toothpaste

les serviettes (f.)
towels

le rasoir
razor

la brosse à dents
toothbrush

la pharmacie
medicine cabinet

la
porte
en
verre

glass
door

la tablette
shelf

les robinets (m.)
taps

le canard en plastique
rubber duck

le bain moussant
bubble bath

le shampoing
shampoo

le savon
soap

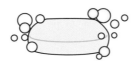

la brosse à cheveux
hairbrush

le peigne
comb

Bath Time

les carreaux (m.)
tile wall

la boîte
de mouchoirs
tissue box

le parfum
perfume

le maquillage
makeup

le lavabo
sink

le comptoir counter

le rouge à lèvres
lipstick

le tapis
mat

le bouton
knob

le pèse-personne
scale

la baignoire
bathtub

le séchoir à cheveux
hairdryer

la toilette
toilet

la douche
shower

Dessine chaque élément. Utilise la couleur indiquée.

Draw each item. Use the specified colour.

la brosse à dents rouge

le savon rose

le shampoing mauve

la débarbouillette verte

la serviette bleue

le canard en plastique jaune

Trace une ligne entre l'image et le mot correspondant. Ensuite, trace le mot.

Draw a line from the picture to the matching word. Trace the word.

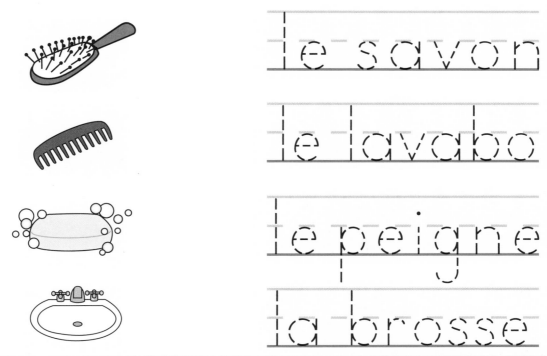

le savon

le lavabo

le peigne

la brosse

Encercle l'intrus dans chaque ligne.

In each row, circle the one that is different from the others.

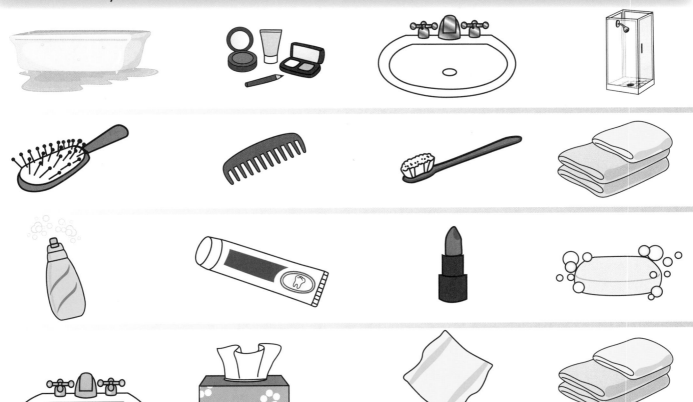

L'heure du pyjama

le peignoir
robe

les pantoufles (f.)
slippers

le pyjama
pyjamas

le réveil
alarm clock

les étoiles (f.)
stars

le lit
bed

les cintres (m.)
hangers

la tringle à rideaux
curtain rod

le garde-robe
closet

le pied de lit
footboard

le tableau
picture

l'oreiller (m.)
pillow

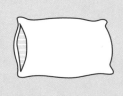

la couverture
blanket

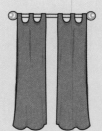

les rideaux (m.)
drapes

Pyjama Time

le plafond
ceiling

le cadre de porte
doorframe

la porte
door

la table de chevet
night table

le livre
book

la poche
pocket

la plinthe
baseboard

le camion
toy truck

la lune
moon

la commode
dresser

la poignée
de porte
doorknob

la table
table

le coffre à bijoux
jewellery box

le tapis
rug

le miroir
mirror

le collier
necklace

la bague
ring

la bibliothèque
bookcase

25

Combien? Écris le mot du nombre. Ensuite, trace une ligne entre le mot du nombre et le nom correspondant à l'image.

How many? Write the number word. Then draw a line from the number word to the name matching the image.

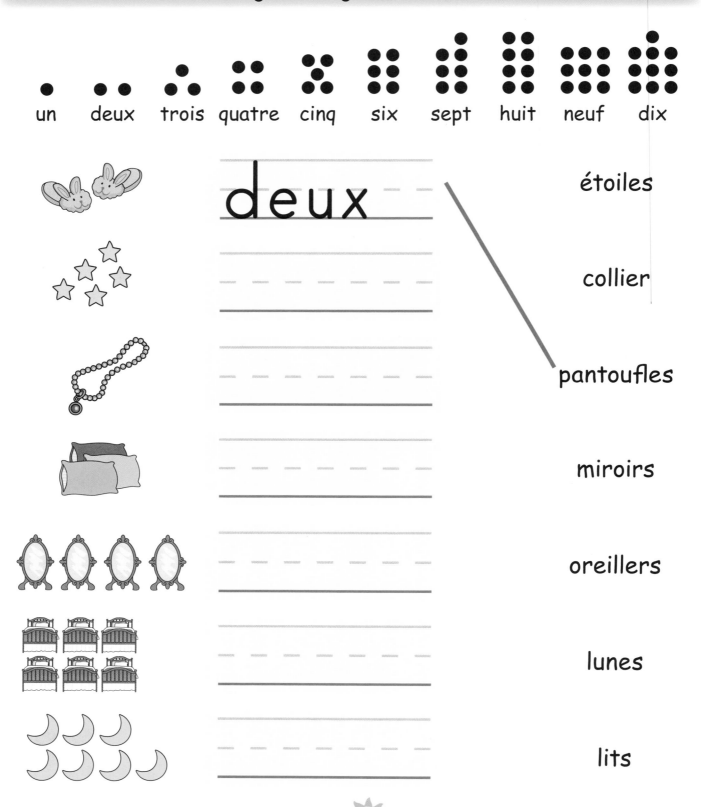

| un | deux | trois | quatre | cinq | six | sept | huit | neuf | dix |

deux

étoiles

collier

pantoufles

miroirs

oreillers

lunes

lits

Trace une ligne entre le mot et l'image correspondante. Continue la ligne jusqu'à la couleur correspondante.

Draw a line from the word to the matching picture. Continue the line to the matching colour word.

le coffre à bijoux

la couverture

la lune

la table

les rideaux

l'oreiller

le tapis

le peignoir

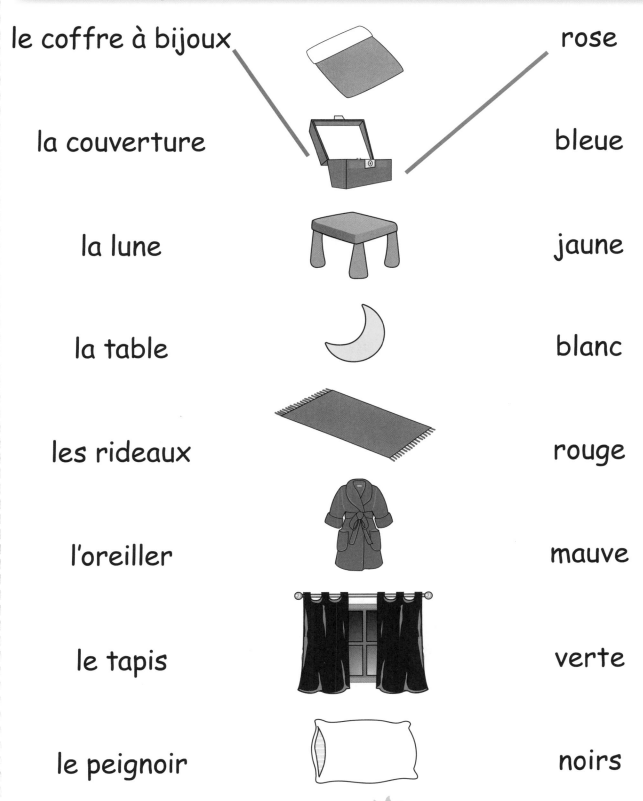

rose

bleue

jaune

blanc

rouge

mauve

verte

noirs

Dans la salle de classe

le globe terrestre
globe

la colle
glue

l'étui à crayons (m.)
pencil case

les crayons
de couleur (m.)
crayons

le taille-crayon
sharpener

l'ordinateur (m.)
computer

le drapeau
canadien
Canadian flag

les
lunettes
(f.)
glasses

Géographie

le tableau
chalkboard

l'écran (m.)
screen

l'enseignante (f.)
teacher

le clavier
keyboard

la souris
mouse

le crayon
pencil

les ciseaux (m.)
scissors

la boîte
à lunch
lunch box

le stylo
pen

In the Classroom

eography

Mme/Mrs. Smith

Leçon/Lesson 1

la craie
chalk

l'horloge (f.)
clock

l'élève
(m. ou f.)
pupil

la chaise
chair

le sac d'école
school bag

le casier
locker

le mât du drapeau
flagpole

le livre
textbook

le cadenas
lock

le tabouret
stool

le cahier
notebook

la gomme
à effacer
eraser

la corbeille
wastebasket

la règle
ruler

le pupitre
desk

Trace une ligne entre l'image et le mot correspondant.

Draw a line from the picture to the matching word.

la boîte à lunch

la règle

les ciseaux

l'étui à crayons

la gomme à effacer

le pupitre

Trace une ligne entre l'image et le mot correspondant. Ensuite, trace le mot.

Draw a line from the picture to the matching word. Trace the word.

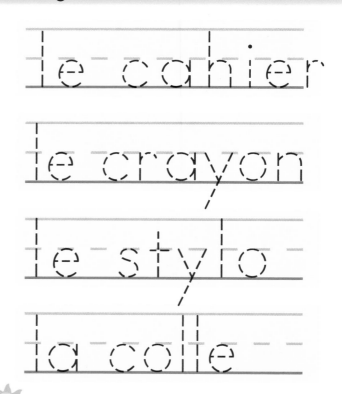

le cahier

le crayon

le stylo

la colle

Écris le nombre qui correspond au mot.
Write the number that matches the word.

un	trois	sept

quatre	six	dix

neuf	huit	deux

cinq

Compte à rebours–repete les mots.

Countdown–repeat the number words.

Dix, neuf, huit, sept, six, cinq, quatre, trois, deux, un, décollage!

Ten, nine, eight, seven, six, five, four, three, two, one, blast off!

Ma fête d'anniversaire

le gâteau
d'anniversaire
birthday cake

les biscuits (m.)
cookies

le petit gâteau
cupcake

la crème glacée
ice cream

la cuillère
spoon

la pizza
pizza

les croustilles (f.)
potato chips

les décorations (f.)
decorations

le chapeau
de fête
party hat

la paille
straw

la robe
de soirée
party dress

le verre
glass

le bol
bowl

les brownies (m.)
brownies

la limonade
lemonade

le maïs soufflé
popcorn

la fourchette
fork

My Birthday Party

les rayures (f.)
stripes

le ruban
ribbon

le glaçage
icing

l'enveloppe (f.)
envelope

la nappe
tablecloth

la boucle
bow

les ballons (m.)
balloons

la serviette
de table
napkin

le beigne
doughnut

les bonbons (m.)
candies

le lait au chocolat
chocolate milk

le sandwich
sandwich

le cadeau
present

l'invitation (f.)
invitation

le couteau
knife

Quel âge as-tu? Encercle le nombre et le mot.

How old are you? Circle the number and the word.

1	2	3	4	5	6	7	8	9	10
un	deux	trois	quatre	cinq	six	sept	huit	neuf	dix

Trace une ligne entre le mot du nombre et l'image correspondante.
Continue la ligne jusqu'au mot correspondant.

Draw a line from the number word to the matching picture. Continue the line to the matching word.

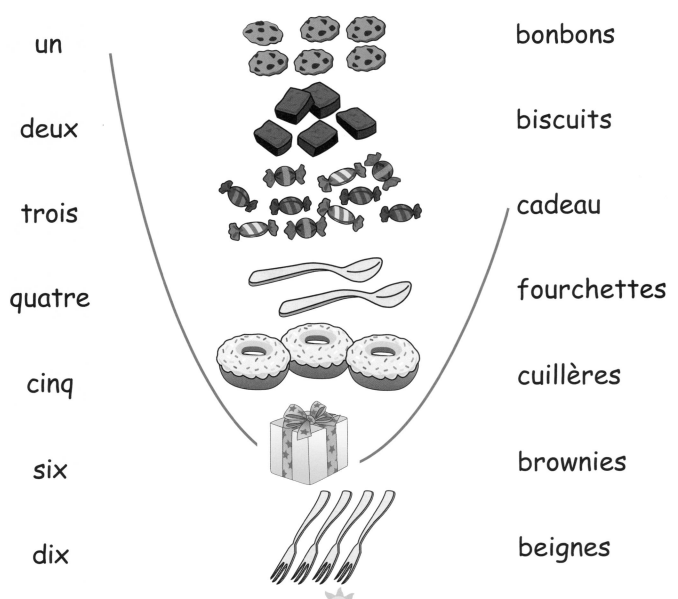

un   bonbons

deux   biscuits

trois   cadeau

quatre   fourchettes

cinq   cuillères

six   brownies

dix   beignes

Relie les points de un à dix. Colorie l'image.

Join the dots from one to ten. Colour the picture.

Début
Start un
huit

neuf
dix

deux

trois

quatre

cinq

Bonne fête

sept   six

le gâteau

Trace une ligne entre l'image et le mot correspondant. Ensuite, trace le mot.

Draw a line from the picture to the matching word. Trace the word.

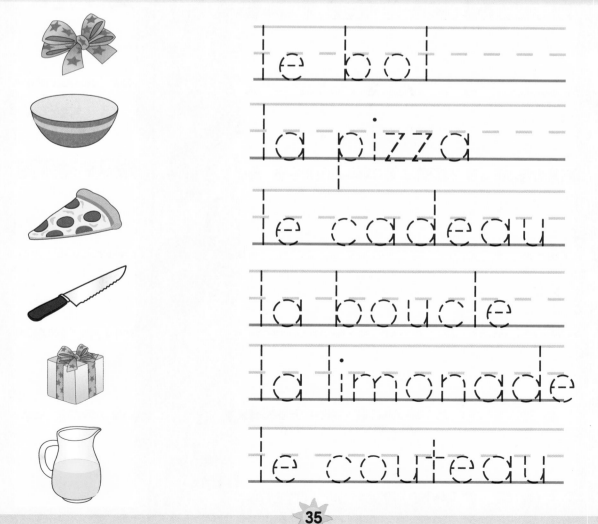

le bol

la pizza

le cadeau

la boucle

la limonade

le couteau

En ville

le feu de circulation
traffic light

le panneau d'arrêt
stop sign

ARRÊT
STOP

la borne-fontaine
hydrant

l'extincteur (m.)
fire extinguisher

la boîte
aux lettres
mailbox

le camion
truck

BOOKAROO
Librairie
Bookstore

COIFFEUR
BARBER

BOULANGERIE BRODEY
BRODEY BAKERY

ÉPICERIE
GROCERY

la vitrine
shop window

la voiture
car

les roues (f.)
wheels

la grille d'égout
sewer grate

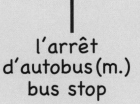

l'arrêt
d'autobus (m.)
bus stop

la dépanneuse
tow truck

l'ambulance (f.)
ambulance

36

Downtown

RESTAURANT

DÉPANNEUR
CONVENIENCE STORE

ARRÊT
STOP

OUVERT
OPEN

la rue
road

le trottoir
sidewalk

le piéton
pedestrian

le cône
pylon

la voiture de police
police car

le lampadaire
streetlight

l'autobus (m.)
bus

l'autobus scolaire (m.)
school bus

le panier
shopping cart

le sac à provisions
shopping bag

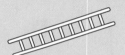

l'échelle (f.)
ladder

le passage
pour piétons
crosswalk

l'auvent (m.)
awning

la plaque de rue
street sign

le camion
de pompiers
fire truck

Trace une ligne entre l'image et le mot correspondant.

Draw a line from the picture to the matching word.

l'échelle

la plaque de rue

la dépanneuse

l'autobus

la boîte aux lettres

le cône

Colorie les images. Utilise les couleurs indiquées.

Colour the objects. Use the colours specified.

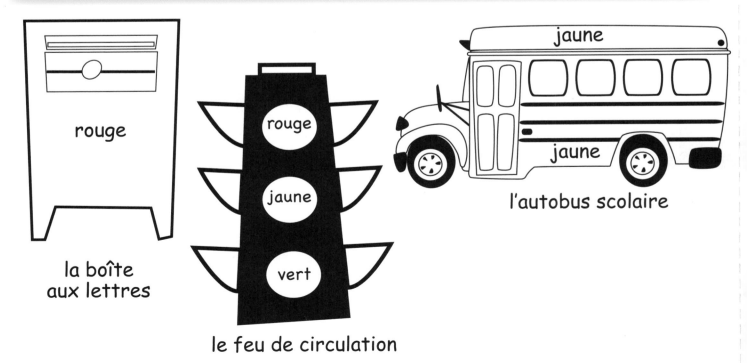

rouge

la boîte
aux lettres

le feu de circulation

rouge

jaune

vert

jaune

jaune

l'autobus scolaire

Encercle les éléments qui ont des roues.

Circle the items that have wheels.

le camion

la dépanneuse

la boîte aux lettres

l'autobus scolaire

le trottoir

la voiture de police

le camion de pompiers

l'ambulance

le feu de circulation

l'autobus

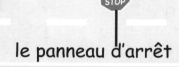
le panneau d'arrêt

l'extincteur

le cône

l'échelle

la voiture

le passage pour piétons

Trace une ligne entre l'image et le mot correspondant. Ensuite, trace le mot.

Draw a line from the picture to the matching word. Trace the word.

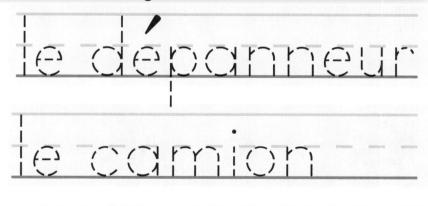

le dépanneur

le camion

le cône

l'autobus

Les gens que je connais

l'astronaute (m. ou f.)
astronaut

la médecin
doctor

l'enseignante (f.)
teacher

la gardienne de zoo
zookeeper

l'électricien (m.)
electrician

le plombier
plumber

le magicien
magician

le chef
chef

le camionneur
truck driver

la politicienne
politician

la scientifique
scientist

le pompier
firefighter

le dessinateur
designer

la policière
policewoman

la vendeuse
sales clerk

l'actrice (f.)
actor

la directrice
de bureau
office manager

le mécanicien
mechanic

le père
father

le neveu
nephew

la mère
mother

le frère
brother

le bébé
baby

l'enfant (m. ou f.)
child

la grand-mère
grandmother

People I Know

l'oncle (m.)
uncle

la tante
aunt

le cousin
cousin

la nièce
niece

la sœur
sister

l'enfant (m. ou f.)
child

le grand-père
grandfather

le travailleur
de la construction
construction worker

le dentiste
dentist

la vétérinaire
veterinarian

l'architecte (m. ou f.)
architect

la serveuse
waitress

le facteur
letter carrier

la photographe
photographer

la journaliste
journalist

le pilote
pilot

le charpentier
carpenter

la promeneuse
de chiens
dog walker

le musicien
musician

le soldat
soldier

l'entraîneuse
personnelle
personal trainer

la réalisatrice
de films
movie director

l'infirmière (f.)
nurse

le vendeur
salesperson

l'avocat (m.)
lawyer

Trace une ligne entre l'image et le mot correspondant.

Draw a line from the picture to the matching word.

l'infirmière

l'astronaute

l'enseignante

la gardienne de zoo

le musicien

le chef

Trace une ligne entre l'image et le mot correspondant. Ensuite, trace le mot.

Draw a line from the picture to the matching word. Trace the word.

la mère

le père

le frère

la sœur

Combien? Écris le mot sur la ligne.

How many? Print the number word on the line.

1	2	3	4	5	6	7	8	9	10
un	deux	trois	quatre	cinq	six	sept	huit	neuf	dix

les mères

_____

les bébés

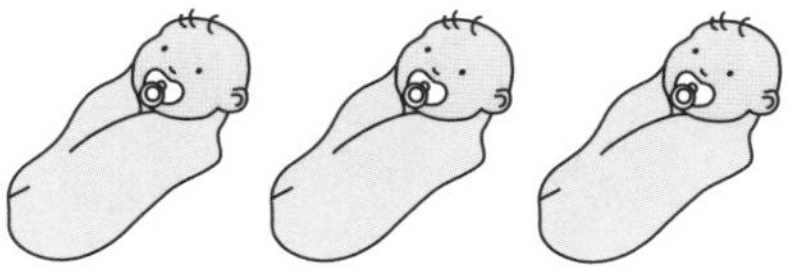

_____

les enfants

_____

le grand-père

_____

les pompiers

_____

les musiciens

_____

les infirmières

_____

les scientifiques

_____

Les fruits et légumes frais

la pomme
apple

l'orange (f.)
orange

le kiwi
kiwi

la tomate
tomato

la poire
pear

les cerises (f.)
cherries

le pamplemousse
grapefruit

la papaye
papaya

les fraises (f.)
strawberries

la lime
lime

les bananes (f.)
bananas

l'abricot (m.)
apricot

le citron
lemon

les bleuets (m.)
blueberries

la nectarine
nectarine

la mûre
blackberry

le melon d'eau
watermelon

la prune
plum

l'ananas (m.)
pineapple

la mangue
mango

les raisins (m.)
grapes

la pêche
peach

la citrouille
pumpkin

la rhubarbe
rhubarb

les framboises (f.)
raspberries

la courgette
zucchini

44

Fresh Fruit and Vegetables

le melon
melon

le chou
cabbage

l'avocat (m.)
avocado

les asperges (f.)
asparagus

les oignons
verts (m.)
green onions

le concombre
cucumber

la patate douce
sweet potato

l'oignon (m.)
onion

le céleri
celery

l'aubergine (f.)
eggplant

l'ail (m.)
garlic

la betterave
beet

la pomme
de terre
potato

la carotte
carrot

l'artichaut (m.)
artichoke

les haricots verts (m.)
green beans

le maïs
corn

la laitue
lettuce

le radis
radish

les poivrons (m.)
peppers

le champignon
mushroom

les petits pois (m.)
peas

le brocoli
broccoli

le chou-fleur
cauliflower

Suis la recette de salade de fruits. Dessine les fruits dans le bol.

Follow the fruit salad recipe. Draw the fruit in the bowl.

Recette de salade de fruits
Fruit Salad Recipe

Ajoute un fruit de chaque sorte dans le bol.
Add one of each fruit to the bowl.

pomme	framboise	orange
banane	fraise	bleuet
raisin	poire	

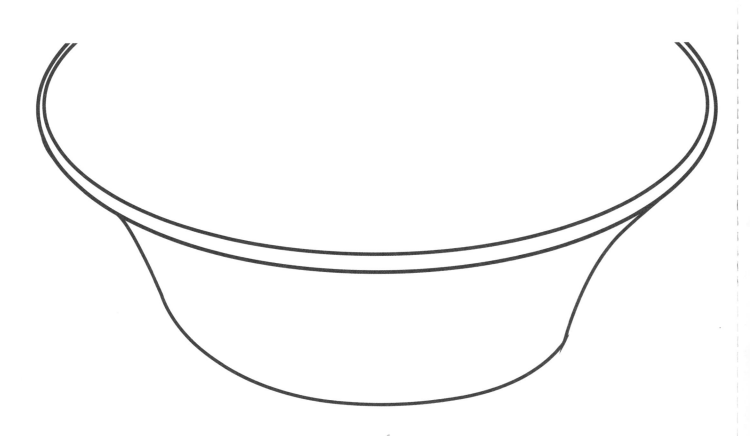

Trace une ligne entre l'image et le mot correspondant. Ensuite, trace le mot.

Draw a line from the picture to the matching word. Trace the word.

la tomate

le céleri

le chou

les pois

la laitue

le radis

le champignon

la carotte

le concombre

À la ferme

le taureau
bull

le mouton
sheep

le coq
rooster

la souris
mouse

la vache
cow

la poule
hen

la chèvre
goat

les arbres (m.)
trees

le soleil
sun

la colline
hill

les cornes (f.)
horns

la cloche
bell

la sauterelle
grasshopper

le foin
hay

le canard
duck

l'abeille (f.)
bee

On the Farm

le nuage
cloud

le silo
silo

la grange
barn

le champ
field

le tracteur
tractor

l'étang (m.)
pond

le nid
nest

le poisson rouge
goldfish

l'oiseau (m.)
bird

la tortue
turtle

le cochon d'Inde
guinea pig

le chien
dog

le chat
cat

le pont
bridge

le ruisseau
stream

le nénuphar
water lily

Nos animaux de compagnie
Our Pets

le cochon
pig

la ruche
beehive

le cheval
horse

le hamster
hamster

Dessine cinq animaux de la liste.
Draw five animals from the list.

la vache	le mouton	la souris
la poule	le canard	l'abeille
le cochon	le cheval	le chat
le chien	le taureau	la chèvre

Trace une ligne entre l'image et le mot correspondant. Ensuite, trace le mot.

Draw a line from the picture to the matching word. Trace the word.

le coq

le chat

la cloche

le chien

la vache

Trace une ligne entre le groupe et le nombre correspondant.

Draw a line from the group to the matching number.

| un | deux | trois | quatre | cinq |

La nature au Canada

la baleine
whale

la couleuvre
snake

le raton laveur
raccoon

le cerf
deer

la loutre
otter

l'ours noir (m.)
black bear

le colibri
hummingbird

le grizzli
grizzly bear

le caribou
caribou

le ver
worm

le saumon
salmon

le cougar
cougar

le homard
lobster

la mouette
seagull

la mouffette
skunk

le harfang
des neiges
snowy owl

l'ours
polaire (m.)
polar bear

l'outarde (f.)
Canada goose

le coyote
coyote

le mouflon
d'Amérique
bighorn sheep

l'orignal (m.)
moose

le loup
wolf

la tortue
serpentine
snapping turtle

le castor
beaver

le porc-épic
porcupine

le lièvre
d'Amérique
snowshoe hare

le macareux
puffin

le chien
de prairie
prairie dog

le renard
fox

le phoque
seal

la chèvre
de montage
mountain goat

The Great Canadian Outdoors

la montagne
mountain

la forêt
forest

le faucon
hawk

le huard
loon

le lac
lake

la table
de pique-nique
picnic table

l'écureuil (m.)
squirrel

les rapides (m.)
rapids

le lapin
rabbit

les quenouilles (f.)
bullrushes

le gilet
de sauvetage
life jacket

le canoë
canoe

le ouaouaron
bullfrog

le kayak
kayak

la grenouille
frog

les rames (f.)
oars

la rivière
river

la chaloupe
rowboat

la pagaie
paddle

la tente
tent

le moustique
mosquito

le crapaud
toad

le suisse
chipmunk

le piquet
de tente
tent peg

le sac à dos
backpack

la carte
map

le feu de camp
campfire

le sac
de couchage
sleeping bag

l'appareil photo (m.)
camera

la guimauve
marshmallow

la lampe
de poche
flashlight

l'escargot (m.)
snail

les fourmis (f.)
ants

la canne
à pêche
fishing rod

le coffre
de pêche
tackle box

Relie les points de un à dix. Colorie l'image.

Connect the dots from one to ten. Colour the picture.

1	2	3	4	5	6	7	8	9	10
un	deux	trois	quatre	cinq	six	sept	huit	neuf	dix

sept

six

deux

cinq

quatre

huit

neuf

trois

un

dix

Début
Start

Ajoute la lettre qui manque.

Add the missing letter.

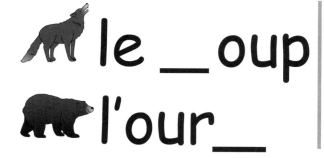

le _ oup

l'our _

le ho_ard

le _ _ aribou

Trace une ligne entre l'image et le mot correspondant.

Draw a line from the picture to the matching word.

l'orignal

le lapin

les fourmis

la chaloupe

la montagne

le lac

Trace une ligne entre l'image et le mot correspondant. Ensuite, trace le mot.

Draw a line from the picture to the matching word. Trace the word.

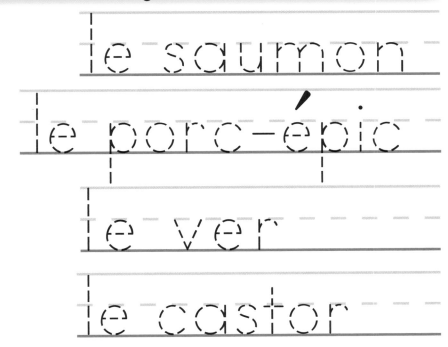

le saumon

le porc-épic

le ver

le castor

Les animaux du monde

le kangourou
kangaroo

l'hippopotame (m.)
hippopotamus

le koala
koala

la pieuvre
octopus

la chauve-souris
bat

le dromadaire
camel

le paon
peacock

le panda
panda

le crocodile
crocodile

la libellule
dragonfly

la tortue
tortoise

le pingouin
penguin

l'aigle (m.)
eagle

le léopard
leopard

le scorpion
scorpion

la girafe
giraffe

le guépard
cheetah

le lynx
lynx

la mouche
fly

la chenille
caterpillar

Animals of the World

le gorille
gorilla

le bison
buffalo

l'autruche (f.)
ostrich

le perroquet
parrot

le moustique
mosquito

le lion
lion

la hyène
hyena

le rhinocéros
rhinoceros

le flamant
flamingo

la coccinelle
ladybug

le tigre
tiger

le singe
monkey

le morse
walrus

l'éléphant (m.)
elephant

le zèbre
zebra

le papillon
butterfly

le tatou
armadillo

le dauphin
dolphin

le requin
shark

le scarabée
beetle

l'araignée (f.)
spider

1 2 3 4 5 6 7 8 9 10
un deux trois quatre cinq six sept huit neuf dix

Relie les points de un à dix.
Colorie l'image.

Join the dots from one to ten.
Colour the picture.

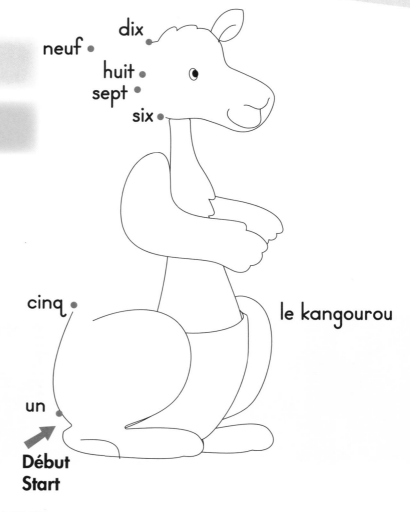

dix
neuf
huit
sept
six

cinq

le kangourou

quatre

trois

deux

un

Début
Start

Écris la lettre manquante sur la ligne.
Print the missing letter on the line.

 le koa __ a

 le pi __ gouin

 la gira __ e

 la tor __ ue

Encercle l'animal qui est différent des autres dans la ligne.

Circle the animal that is different from the others in the row.

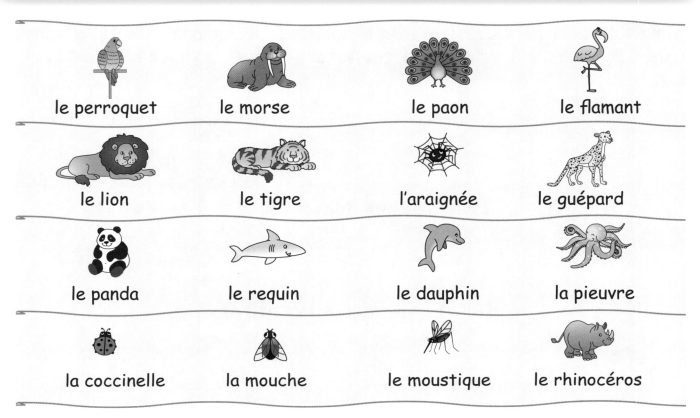

le perroquet   le morse   le paon   le flamant

le lion   le tigre   l'araignée   le guépard

le panda   le requin   le dauphin   la pieuvre

la coccinelle   la mouche   le moustique   le rhinocéros

Trace une ligne entre l'image et le mot correspondant. Ensuite, trace le mot.

Draw a line from the picture to the matching word. Trace the word.

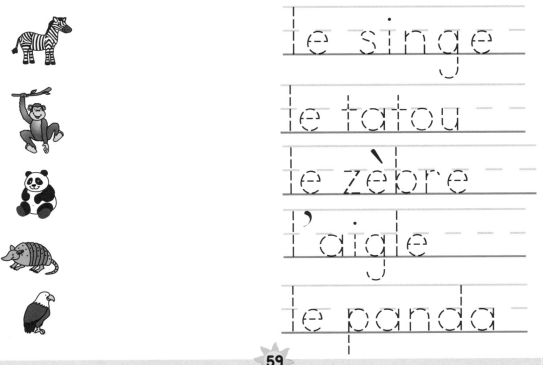

le singe

le tatou

le zèbre

l'aigle

le panda

À connaître • I Need to Know

Les mois de l'année — Months of the Year

janvier	January
février	February
mars	March
avril	April
mai	May
juin	June
juillet	July
août	August
septembre	September
octobre	October
novembre	November
décembre	December

Les jours de la semaine — Days of the Week

lundi	Monday
mardi	Tuesday
mercredi	Wednesday
jeudi	Thursday
vendredi	Friday
samedi	Saturday
dimanche	Sunday

Les saisons • Seasons

le printemps	spring
l'été (m.)	summer
l'automne (m.)	fall
l'hiver (m.)	winter

Les moments de la journée — Times of the Day

le matin	morning
le midi	noon
l'après-midi (m. et f.)	afternoon
le soir	evening
la nuit	night

Les repas de la journée — Meals of the Day

le déjeuner	breakfast
le dîner	lunch
la collation	snack
le souper	dinner

Le temps • Weather

l'arc-en-ciel (m.) rainbow   le soleil sun   le nuage cloud   la neige snow   l'éclair (m.) lightning   la pluie rain   le vent wind   la tornade tornado

l'ouragan (m.) hurricane   le tsunami tsunami   le tonnerre thunder

La monnaie canadienne • Canadian Coins

deux dollars two dollars (toonie)   un dollar one dollar (loonie)   vingt-cinq cents twenty-five cents (quarter)   dix cents ten cents (dime)   cinq cents five cents (nickel)

Les formes • Shapes

le parallélogramme parallelogram   le cercle circle   le cœur heart   le carré square   le losange diamond

l'ovale (m.) oval   le triangle triangle   l'étoile (f.) star   le rectangle rectangle

Les contraires • Opposites

rapide fast			lent slow	
facile easy			difficile hard	
en haut up			en bas down	
plein full			vide empty	
gauche left			droit right	
plat flat			rond round	
petit small			gros big	
rire laugh			pleurer cry	
sur above			sous below	
petit short			grand tall	
loin far			près near	
grasse fat			mince thin	
bon good			méchant bad	

heureuse (f.) heureux (m.) happy			triste sad	
chaud hot			froid cold	
allumé on			éteint off	
ouvert open			fermé closed	
élevé high			bas low	
sûr safe			dangereux dangerous	
pousser push			tirer pull	
résistant strong			fragile weak	
mou soft			dur hard	
rugueux rough			moelleux smooth	
extérieur outside			intérieur inside	
bon marché cheap			coûteux costly	

Les solutions • Solutions

Page 5

Dessine ces vêtements sur le bonhomme de neige.
Draw these clothes on the snowman.

une tuque
un manteau
un pantalon
un foulard

des boutons
des mitaines
une ceinture
des bottes

Page 7

Dessine les parties de la tête.
Draw the parts of the head.

les cheveux
les yeux
le nez
les taches de rousseur
les oreilles
la bouche
la frange
les sourcils

Trace chaque mot. Ensuite, trace une ligne jusqu'à l'image correspondante.
Trace each word. Then draw a line to the matching picture.

le pied
le bras
la main
les dents

Page 10

Relie les points de un à dix. Colorie l'auto en rouge.
Join the dots from one to ten. Colour the car red.

quatre   cinq
trois
deux   six
un
Début   sept
Start
dix   neuf   huit

Trace chaque mot. Ensuite, trace une ligne jusqu'à l'image correspondante.
Trace each word. Draw a line to the matching picture.

la maison
l'auto
la fenêtre
la porte

Page 11

Trace une ligne entre l'image et le mot correspondant.
Draw a line from each picture to the matching word.

les fleurs
la brouette
la tondeuse
la bicyclette
le seau
le garage

Encercle l'intrus dans chaque ligne.
In each row, circle the one that is different from the others.

la porte	le râteau	la fenêtre	le garage
la fleur	la pelle	le tuyau d'arrosage	la brouette
la cheminée	le toit	l'antenne parabolique	la poubelle
l'auto	la tondeuse	la bicyclette	le camion

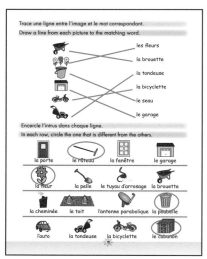

Page 14

Trace une ligne entre le mot et l'image correspondante.
Draw a line from each word to the matching picture.

le cadre   le vase   le fauteuil   l'aspirateur
la plante   le foyer   le ballon   le mur

le coffre à jouets   le sofa   le coussin
la table de salon   la télécommande   le plancher

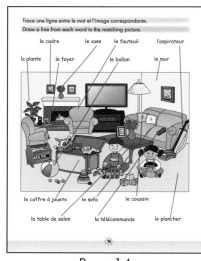

Page 19

Trace une ligne entre l'image et le mot correspondant. Ensuite, trace le mot. Colorie deux images selon la couleur indiquée.
Draw a line from the picture to the matching word. Trace the word. Colour two pictures to match the colour word.

le beurre
le pain
la bouilloire rouge
les œufs
la soupe
la cuisinière
l'assiette jaune
le lait

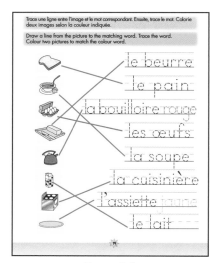

Page 22

Dessine chaque élément. Utilise la couleur indiquée.
Draw each item. Use the specified colour.

la brosse à dents rouge	
le savon rose	
le shampoing mauve	
la débarbouillette verte	
la serviette bleue	
le canard en plastique jaune	

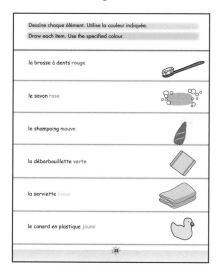

Page 23

Trace une ligne entre l'image et le mot correspondant. Ensuite, trace le mot.
Draw a line from the picture to the matching word. Trace the word.

le savon
le lavabo
le peigne
la brosse

Encercle l'intrus dans chaque ligne.
In each row, circle the one that is different from the others.

Page 26

Combien? Écris le mot du nombre. Ensuite, trace une ligne entre le mot du nombre et le nom correspondant à l'image.
How many? Write the number word. Then draw a line from the number word to the name matching the image.

un   deux   trois   quatre   cinq   six   sept   huit   neuf   dix

deux — étoiles
cinq — collier
un — pantoufles
trois — miroirs
quatre — oreillers
six — lunes
sept — lits

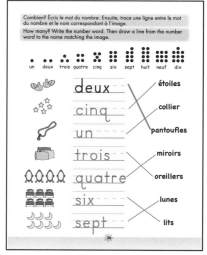

Les solutions • Solutions

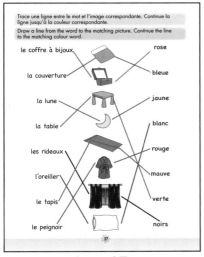

Trace une ligne entre le mot et l'image correspondante. Continue la ligne jusqu'à la couleur correspondante.
Draw a line from the word to the matching picture. Continue the line to the matching colour word.

le coffre à bijoux — rose
la couverture — bleue
la lune — jaune
la table — blanc
les rideaux — rouge
l'oreiller — mauve
le tapis — verte
le peignoir — noirs

Page 27

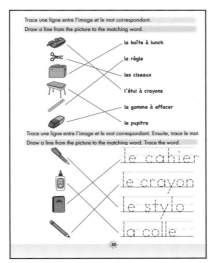

Trace une ligne entre l'image et le mot correspondant.
Draw a line from the picture to the matching word.

la boîte à lunch
la règle
les ciseaux
l'étui à crayons
la gomme à effacer
le pupitre

Trace une ligne entre l'image et le mot correspondant. Ensuite, trace le mot.
Draw a line from the picture to the matching word. Trace the word.

le cahier
le crayon
le stylo
la colle

Page 30

Écris le nombre qui correspond au mot.
Write the number that matches the word.

un	trois	sept
1	3	7
quatre	six	dix
4	6	10
neuf	huit	deux
9	8	2
cinq		
5		

Compte à rebours–repete les mots.
Countdown–repeat the number words.

Dix, neuf, huit, sept, six, cinq, quatre, trois, deux, un, décollage!

Ten, nine, eight, seven, six, five, four, three, two, one, blast off!

Page 31

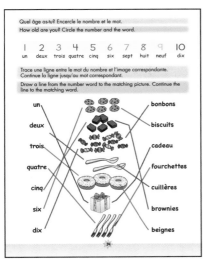

Quel âge as-tu? Encercle le nombre et le mot.
How old are you? Circle the number and the word.

1 2 3 4 5 6 7 8 9 10
un deux trois quatre cinq six sept huit neuf dix

Trace une ligne entre le mot du nombre et l'image correspondante. Continue la ligne jusqu'au mot correspondant.
Draw a line from the number word to the matching picture. Continue the line to the matching word.

un — bonbons
deux — biscuits
trois — cadeau
quatre — fourchettes
cinq — cuillères
six — brownies
dix — beignes

Page 34

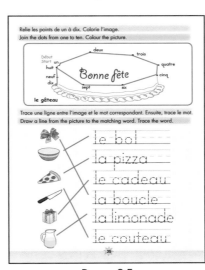

Relie les points de un à dix. Colorie l'image.
Join the dots from one to ten. Colour the picture.

Début / Start
huit deux trois
neuf quatre
dix cinq
sept six
Bonne fête
le gâteau

Trace une ligne entre l'image et le mot correspondant. Ensuite, trace le mot.
Draw a line from the picture to the matching word. Trace the word.

le bol
la pizza
le cadeau
la boucle
la limonade
le couteau

Page 35

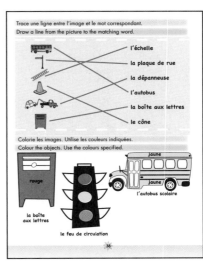

Trace une ligne entre l'image et le mot correspondant.
Draw a line from the picture to the matching word.

l'échelle
la plaque de rue
la dépanneuse
l'autobus
la boîte aux lettres
le cône

Colorie les images. Utilise les couleurs indiquées.
Colour the objects. Use the colours specified.

rouge
la boîte aux lettres

jaune
le feu de circulation

jaune
l'autobus scolaire

Page 38

Encercle les éléments qui ont des roues.
Circle the items that have wheels.

le camion   la dépanneuse   la boîte aux lettres   l'autobus scolaire
le trottoir   la voiture de police   le camion de pompiers   l'ambulance
le feu de circulation   l'autobus   le panneau d'arrêt   l'extincteur
le cône   l'échelle   la voiture   le passage pour piétons

Trace une ligne entre l'image et le mot correspondant. Ensuite, trace le mot.
Draw a line from the picture to the matching word. Trace the word.

le dépanneur
le camion
le cône
l'autobus

Page 39

Trace une ligne entre l'image et le mot correspondant.
Draw a line from the picture to the matching word.

l'infirmière
l'astronaute
l'enseignante
la gardienne de zoo
le musicien
le chef

Trace une ligne entre l'image et le mot correspondant. Ensuite, trace le mot.
Draw a line from the picture to the matching word. Trace the word.

la mère
le père
le frère
la soeur

Page 42

Combien? Écris le mot sur la ligne.
How many? Print the number word on the line.

1 2 3 4 5 6 7 8 9 10
un deux trois quatre cinq six sept huit neuf dix

les mères	deux
les bébés	trois
les enfants	cinq
le grand-père	un
les pompiers	dix
les musiciens	neuf
les infirmières	huit
les scientifiques	sept

Page 43

Les solutions • Solutions

Page 47

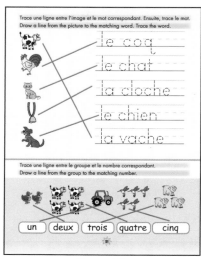

Page 51

Page 54

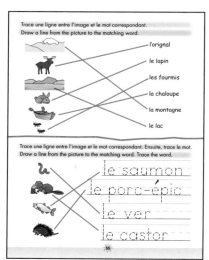

Page 55

Page 58

Page 59